Será

Coordinación de la colección: Mariana Mendía
Coordinación del proyecto editorial: Miriam Martínez Garza
Coordinación de diseño: Javier Morales Soto
Formación: Sara Miranda Icaza
Sección didáctica: Miriam Martínez Garza
Asesoría pedagógica: María Angélica Cuéllar Cabrera
Asistencia editorial y corrección de estilo: Ricardo Maldonado Gutiérrez

Será

Primera edición: febrero de 2018

Insurgentes Sur 1886, Florida.
Álvaro Obregón.
C. P. 01030, Ciudad de México, México.

Ediciones Castillo forma parte del Grupo Macmillan.

www.edicionescastillo.com
Lada sin costo: 01 800 536 1777

Miembro de la Cámara Nacional de la Industria Editorial Mexicana
Registro núm. 3304

ISBN: 978-607-540-047-1

Impreso en México / *Printed in Mexico*

Impreso en los talleres de
Impresos Santiago, S. A. de C. V.
Trigo 80-B, Granjas Esmeralda,
Iztapalapa, C. P. 09810, Ciudad de México, México.
Febrero de 2018.

Será

Mercedes Calvo • Stefano Di Cristofaro

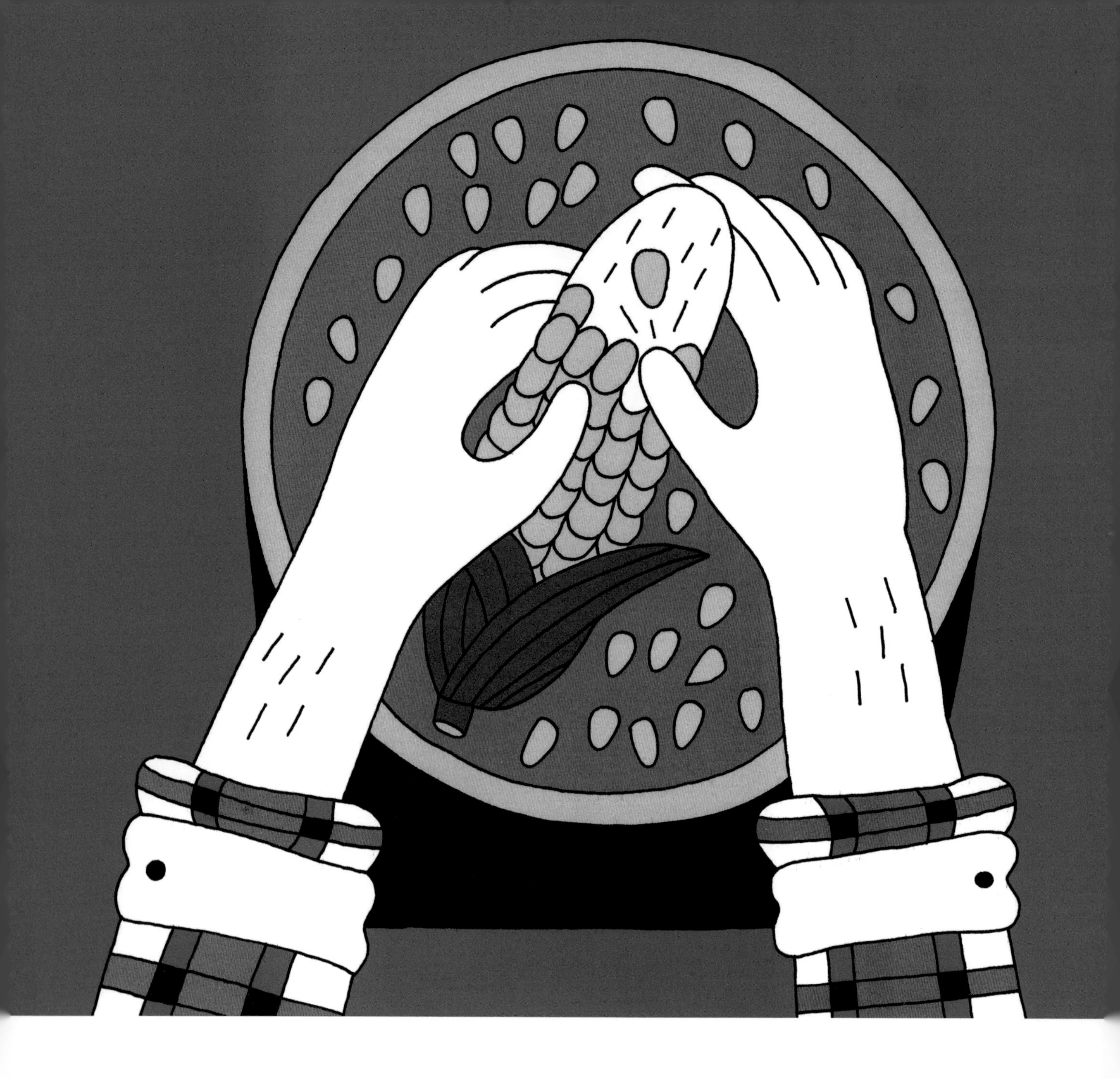

¿Serán tamales?

¿Serán tortillas?

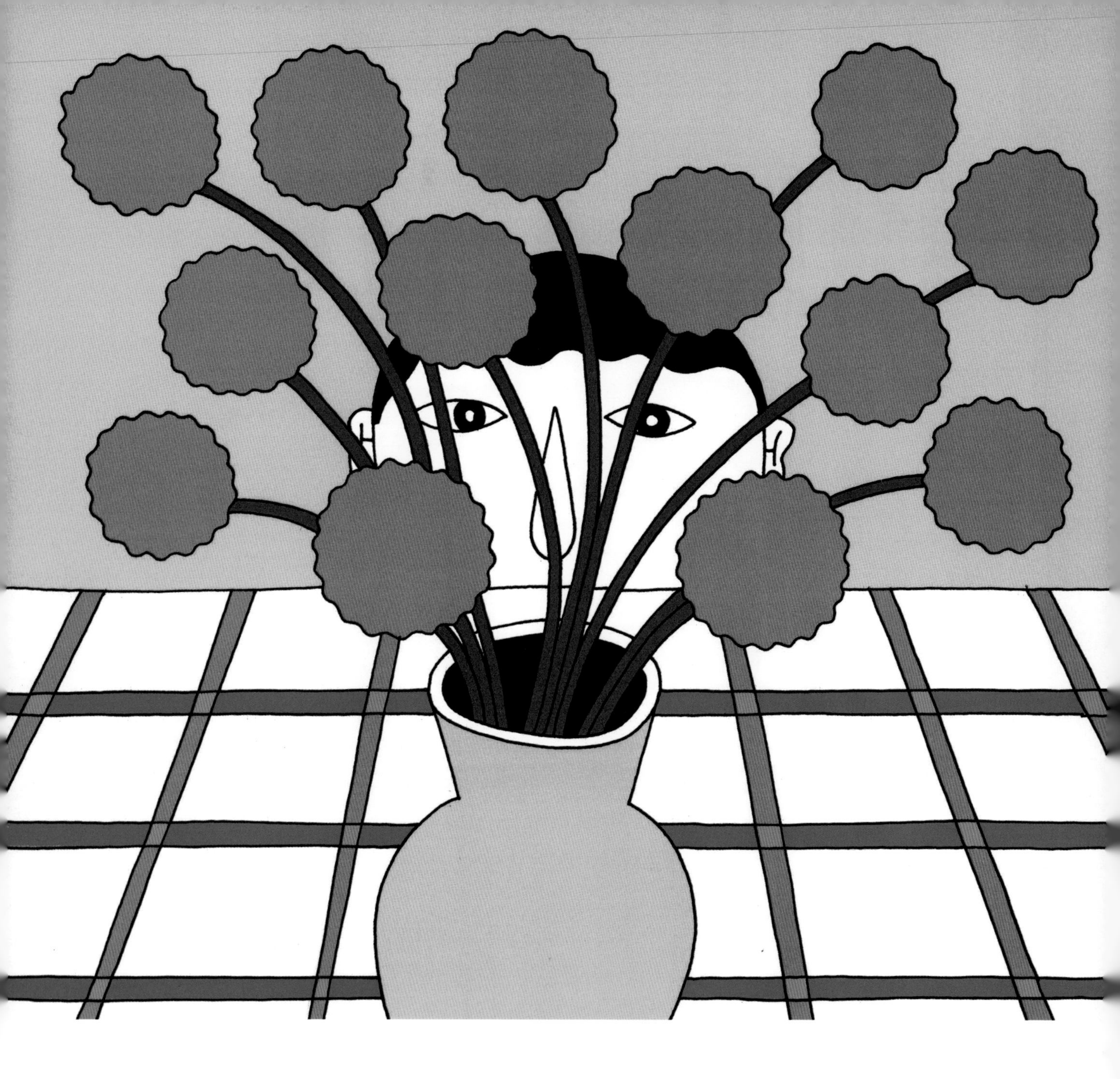

¿Mil dalias rojas

o bugambilias?

Ya canta el gallo en la lejanía.

¿Será de noche? ¿Será de día?

Una varita delgada y fina.

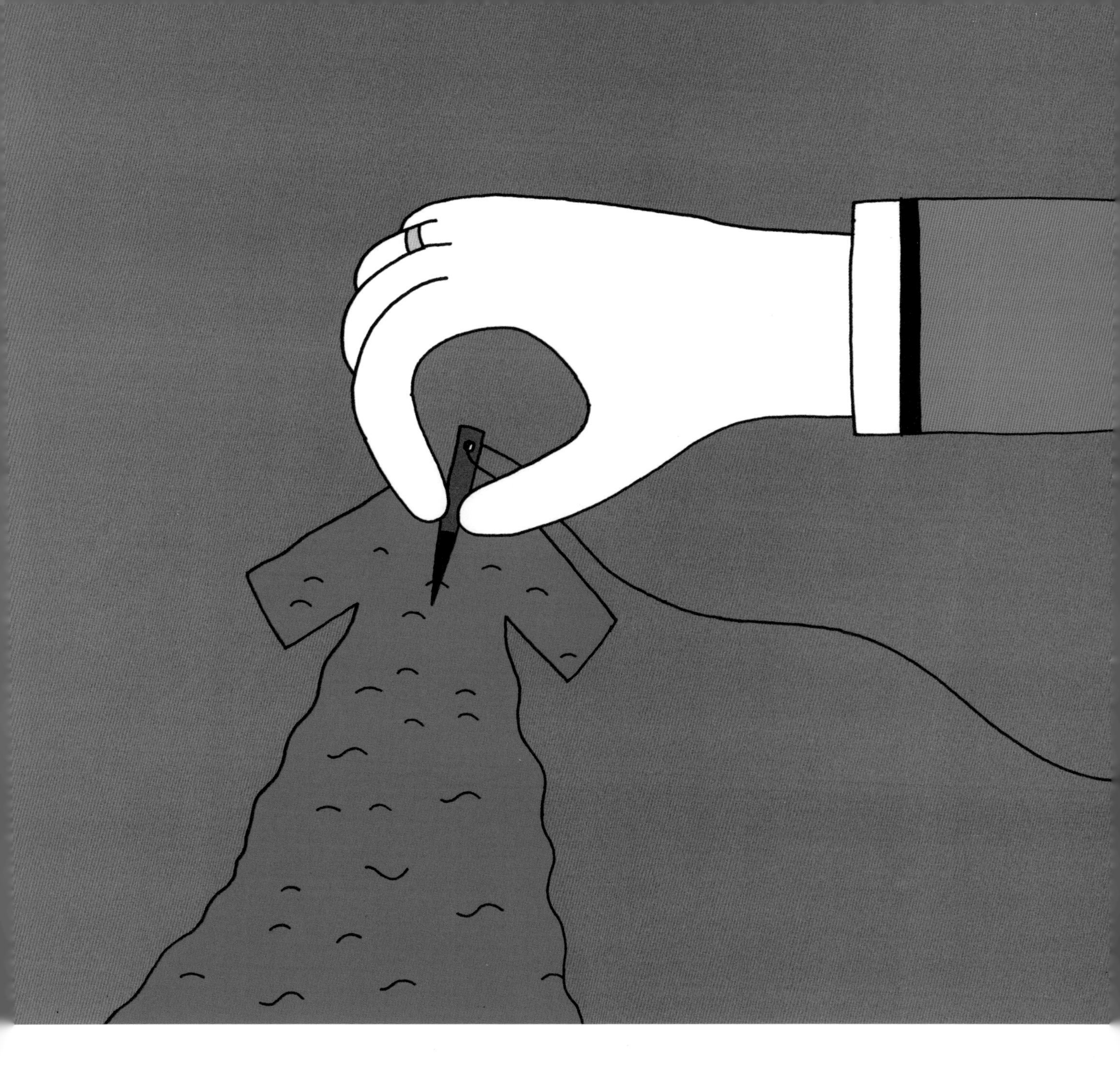

¿Será una aguja? ¿Será una espina?

¿Serán bichitos?

¿Serán semillas?

¿Rabo de gato?

¿Cola de ardilla?

La mariposa en rama florida.

¿Está despierta o está dormida?

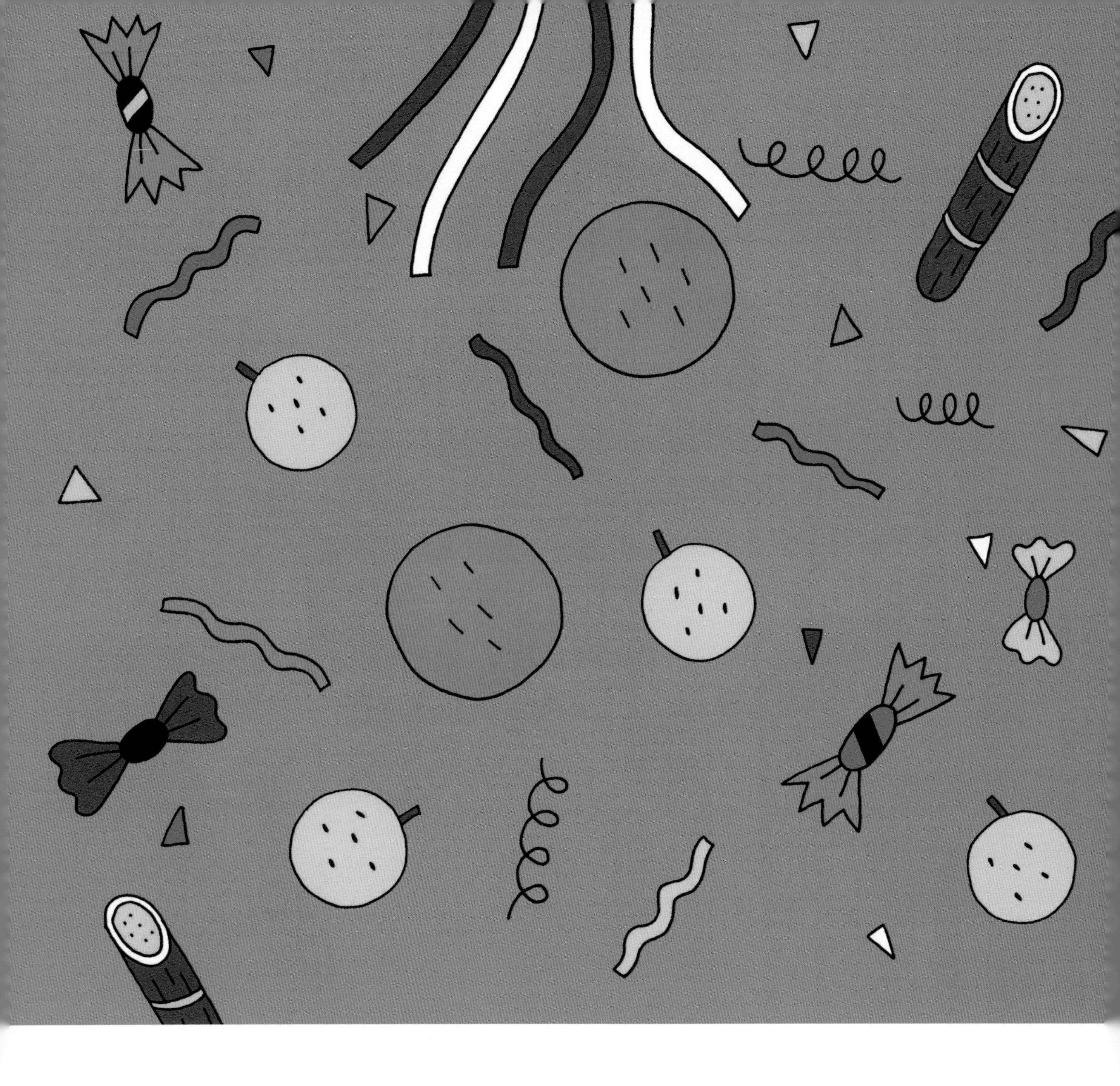

¿Será una estrella brillante y viva

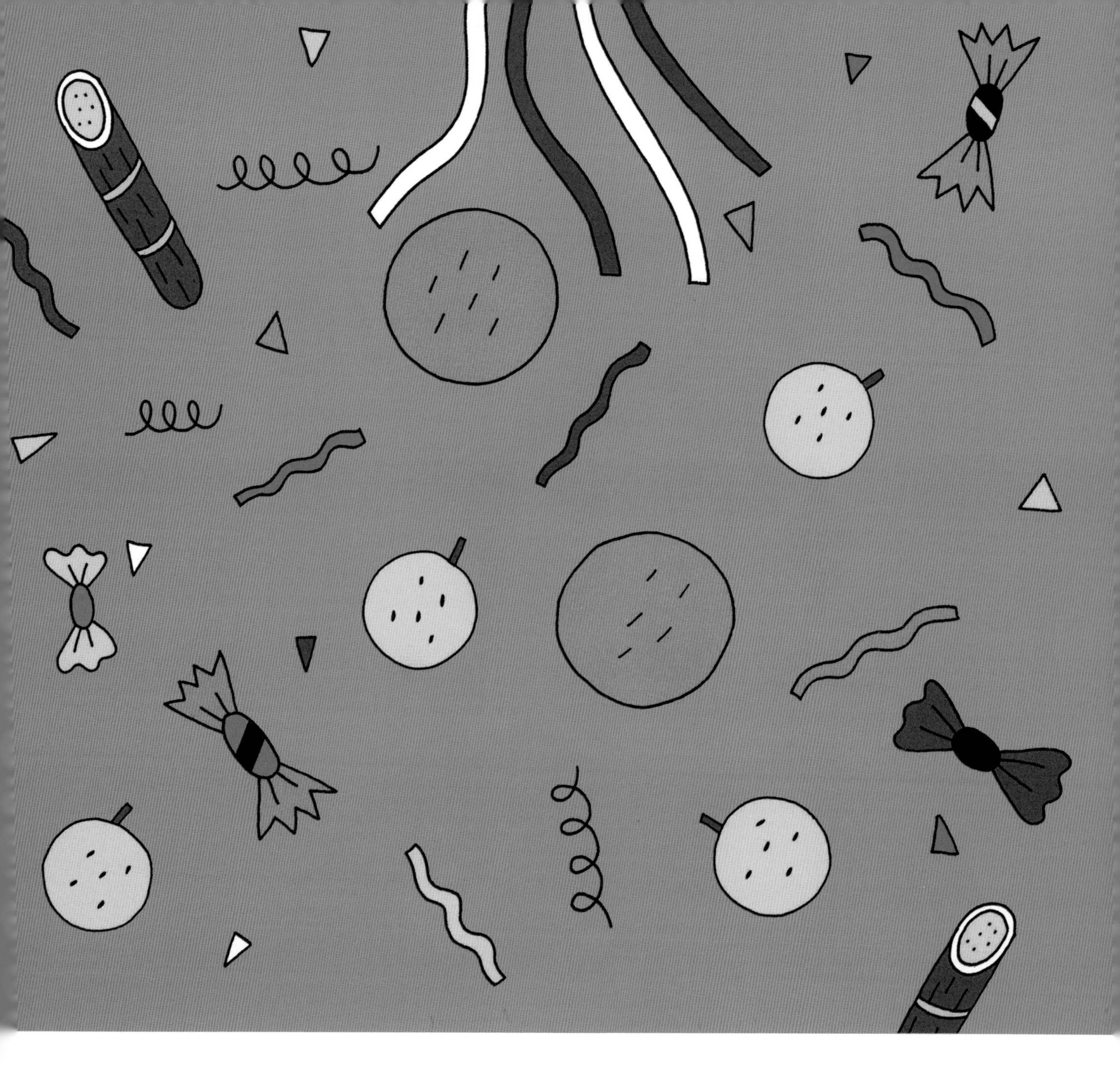

la que se enciende allá arriba?

Ríe María, la más bonita.

¿Será la niña o la muñequita?

¿Será melón? ¿Será sandía?

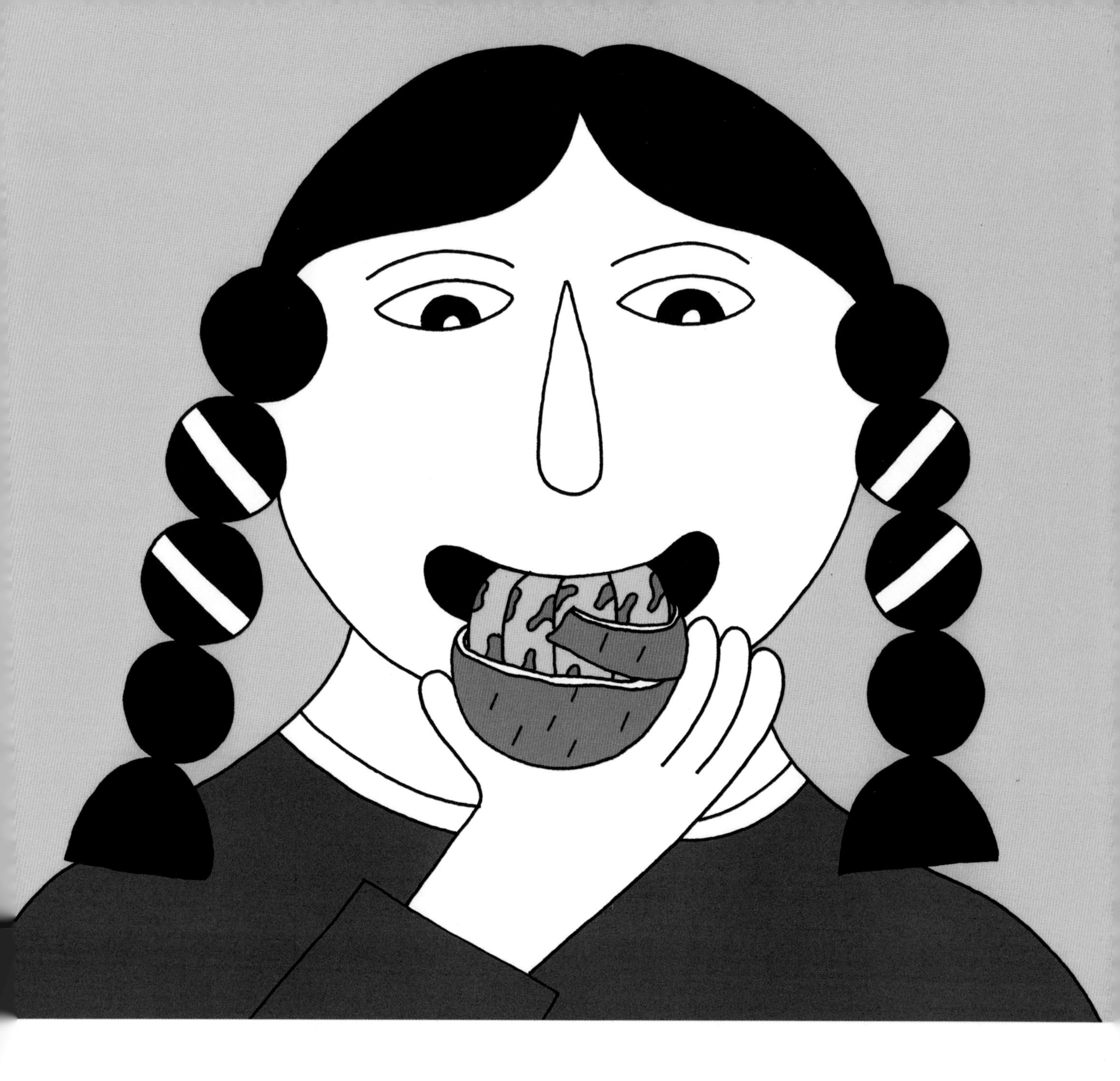

¿Será la niña que vi aquel día?

¿Serán cabellos? ¿O serán cintas?

¿Serán iguales? ¿Serán distintas?

Vamos a jugar

Para (re)leer y generar aprendizajes en la familia o en el aula

RELACIÓN CON LOS CAMPOS DE FORMACIÓN ACADÉMICA

EXPLORACIÓN Y COMPRENSIÓN DEL MUNDO SOCIAL

EJE: Cultura y vida social
TEMA: Interacciones con el entorno social

APRENDIZAJES SUGERIDOS PARA EL LECTOR

- Reconoce y valora sus costumbres y las de su familia, así como las tradiciones propias o de otros.
- Comenta cómo participa en conmemoraciones tradicionales.
- Se interesa por realidades distintas a la suya, aprecia la diversidad y los lazos que lo unen a otros.

LENGUAJE Y COMUNICACIÓN

ÁMBITO: Oralidad
PRÁCTICAS SOCIALES DEL LENGUAJE: Conversación / Narración / Descripción / Explicación

APRENDIZAJES SUGERIDOS PARA EL LECTOR

- Expresa emociones, gustos e ideas relacionadas con la diversidad.
- Narra anécdotas familiares y comunitarias.
- Menciona las características de objetos y personas.

PENSAMIENTO MATEMÁTICO

EJE: Forma, espacio y medida
TEMA: Figuras y cuerpos geométricos

APRENDIZAJES SUGERIDOS PARA EL LECTOR

- Nombra, identifica y compara figuras y cuerpos geométricos.
- Identifica varios momentos de la vida cotidiana y dice el orden en que ocurren.

RELACIÓN CON LAS ÁREAS DE DESARROLLO PERSONAL Y SOCIAL

EDUCACIÓN SOCIOEMOCIONAL

DIMENSIONES: Autoconocimiento / Empatía / Colaboración
HABILIDADES: Autoestima / Sensibilidad y apoyo a otros / Inclusión

APRENDIZAJES SUGERIDOS PARA EL LECTOR

- Reconoce y expresa características personales y de la gente cercana.
- Habla de sus costumbres y tradiciones, y de las de otros.
- Desarrolla su capacidad de atención para identificar su entorno inmediato y los espacios de su localidad.
- Convive y juega en su entorno con personas diversas.

ACTIVIDADES PARA EXPLORAR, EXPRESARTE Y COMPRENDER
(situaciones de aprendizaje sugeridas)

CONVERSA

- ¿Dónde y con quiénes celebras las posadas?
- ¿Quiénes participan en la posada del libro? ¿Cómo lo hacen?

¡LEE LAS IMÁGENES DEL LIBRO!

- Explora las ilustraciones. Busca flores, frutos y animales. ¿Cuáles conoces o has probado? ¿Qué formas, objetos y colores se repiten a lo largo del libro?
- ¿Qué pueden guardar las piñatas en su interior? Busca en el libro todo aquello que guarde algo dentro de sí.
- Vuelve a mirar el libro, ahora para buscar las manos que allí aparecen. ¿De quiénes son esas manos? ¿Qué están haciendo? ¿Qué expresan?
- ¿Qué necesitas para hacer una posada? Encuentra en cada imagen las cosas que se emplean en esta celebración.

¡CREA!

- Mira y dibuja a los miembros de tu familia. ¿Qué los hace diferentes entre sí?
- Vuelve a observar a todos tus familiares. Ahora dibújalos destacando las características que comparten.
- ¿Qué alcanzas a ver desde las ventanas de tu casa? Dibújalo.
- En la noche, haz dibujos de sombra en la pared con tus manos.

INVESTIGA Y EXPLICA

- ¿Sabes cómo se preparan las tortillas, sopes, tamales y tlacoyos que te comes? ¿Quién hace posible que una tortilla llegue hasta tus manos? Mira las dos primeras imágenes del libro y coméntalas con tus papás o tu profesor.
- ¿Qué es un metate? ¿Qué es desgranar? Pregunta a tus papás o a tus abuelos.
- Ve tras las pistas del tejocote: hay muchos en este libro. ¿De dónde vienen, por dónde pasan, a qué manos llegan? ¿Qué otras frutas comes en una posada?
- Investiga qué significado tiene el hecho de que los dulces y las frutas caigan al romper la piñata.

IMAGINA Y RAZONA EN GRUPO

- Describe a la niña. Describe al niño. ¿Dónde crees que vive cada uno? ¿En qué es distinto un niño de una niña? Y los niños de esta historia, ¿se parecen o son distintos?
- ¿Tienes un amigo que sea muy diferente a ti? Si es así, de seguro también se parecen en algo. ¿En qué? ¿Cómo se conocieron?
- En esta historia, no sólo de la piñata se obtienen regalos. ¿Quién más da? ¿Quién recibe? ¿Qué cosas se regalan? ¿Cuál es el regalo más bonito que has dado? ¿Y el que has recibido?
- Pregunta a tu maestro o a tus papás cómo se juega la ronda “A la víbora de la mar”. En grupo, canten el poema de este libro con la melodía de la pregunta que se hace casi al final de la ronda, tomándose de las manos en fila, mientras cantan y corren cada vez más rápido. No olviden elegir quiénes serán “melón” y “sandía”. En este libro, ¿en qué momento elige la niña entre “melón” y “sandía”?